KB171648

책쓰기

책만들기

이단 박창수 지음

인사말

책을 쓰는 책을 만드는 과정을
쉽고 빠르게 알려 드리겠습니다
먼저 아셔야 할 것은
돈이 들어간다는 것 입니다
그냥 쓰기만 하는 것이
아니라는 걸 아셔야 합니다
그 동안에 책을 만드는 과정에서 필요 했던
알아야 했던 내용을 시행착오 하지 마시라고
간단히 그리고 빠르게 단 한번에
알려드리겠습니다
시간이 많이 절약 되실 겁니다
그리고 유투브에서 배우고자 하시는
정보들 검색하시면 보다 많은 정보을
얻으실 수 있습니다
자 그럼 시작 하겠습니다.

목차

1.인

1-1.인디자인

자인

지 번호 매기기

1.인디자인

처음 하시는 분들은 생소하실 겁니다
책을 만드는 데 필요한 앱 입니다

어도비(Adobe)
Creative Cloud 모든 앱 구매를
하셔야 앱을 다운 받아 실행 하실 수 있습니다

링크 : https://www.adobe.com/kr

인디자인 배우기

링크 : https://www.youtube.com/@forpletv

1-1.인디자인 페이지 번호 매기기

링크 : https://www.youtube.com/watch?v=DaUIHxcMbAw&t=317s

2.

2.포토샵

많이들 아시는 앱 입니다
처음하시는 분들도 계실 거예요

책 만드는 데 아주 유용합니다
표지나 내지등을 만드 실수 있습니다

어도비(Adobe)
Creative Cloud 모든 앱 구매를 하시면
포토샵도 포함 되어 있어서 실행해 주시면
사용 하실 수 있습니다

포토샵 배우기

링크 :
https://www.youtube.com/watch?v=IpF_VCgVLkA

3.CAN

(캔바)

3.CANVA (캔바)

책 표지, 책 내지 만들기에 아주 유용합니다
결제하셔야 더 많은 자료 사용 이용 하실 수 있습니다

CANVA 링크 : https://www.canva.com

캔바 사용법 1 :

https://www.youtube.com/watch?v=PDIJBvhmnj0&t=563s

캔바 사용법 2 :

https://www.youtube.com/watch?v=JXgHisptyIY

4.북코

ookk)

4.북크크(BOOKK)

책 출판 하실수 있는 싸이트 입니다
회원 가입하시고 로그인 하셔서
이용 하시면 됩니다
다른 싸이트도 있는데
북크크 개인적으로 강추 합니다

링크 : https://bookk.co.kr

북크크 사용법(등록방법) :

https://www.youtube.com/watch?v=P1nEA3-8rWk

5.책 표

만들기

5.책 표지 만들기

링크1 :
https://www.youtube.com/watch?v=RdF3hbhi7Lc&t=389s

링크2 :
https://www.youtube.com/watch?v=RdF3hbhi7Lc

6.북코코

지 만들때

6.북크크 책 표지 만들때

표지를 직접 만들 때 반드시 유의해야할 점에 대해서 알려드리려고 합니다.
직접 업로드를 하셨는데 반려처리되어 당황하시지 말고 아래 설명과 같이 작업해주세요 ^^
직접 올린 표지가 반려처리된 원인은 다음과 같습니다.

A. 해상도가 너무 낮아요.
: 인쇄에 필요한 해상도는 300dpi 이상입니다.
해상도란 ? 화면 또는 인쇄 등에서 이미지의 정밀도를 나타내는 지표.
해상도가 낮다는 것은 인쇄시 정밀도가 낮은 것을 의미하므로, 인쇄시 색상이 제대로 나오지 않습니다!
내가 만드는 표지의 해상도 어떻게 확인할 수 있을까요!?
이미지 파일에서 마우스 오른쪽 버튼을 클릭한 다음 속성을 클릭!
속성 창에서 '자세히'를 클릭하면 수평 해상도, 수직 해상도를 확인할 수 있습니다.

각 규격별 고해상도 파일의 픽셀값 정보는
아래와 같습니다.

A4: 5150x3579px

B5: 4488x3106px

B5 날개 있음: 6850x3106px

A5: 3685x2551px

A5 날개 있음: 6047x2551px

46판: 3189x2291px

46판 날개 있음: 5551x2291px

작업된 표지 파일의 픽셀값을 위 수치를 참고하여 작업해주세요.

모든 규격의 표지 파일 해상도는 300DPI이상 되어야 합니다!

Q1. 그림판으로 표지를 만들었는데 해상도가 낮아요 ..

A1: 그림판은 해상도 조절이 불가능합니다... 포토샵이나 인디자인 등을 사용해주세요 ㅠ

Q2. 파워포인트로 표지를 만들때 참고사항

A2. https://blog.naver.com/csprint1/222272683988 를 참고해주세요^^

B. 크기가 잘못되었습니다 .

아마 대부분의 경우 해당 문제로 인하여 반려처리 되었을 것 같습니다^^;
작업시 크기는 다음과 같이 지정합니다.

A5(mm) :
[가로] 302 + 책등너비 * [세로]216

46판(mm) :
[가로] 260 + 책등너비 * [세로]194

B5(mm) :
[가로] 370 + 책등너비 * [세로]263

A4(mm) :
[가로] 426 + 책등너비 * [세로]303

#날개를 추가하는 경우

46판, A5, B5 : [가로]200mm 추가. (양쪽으로 100mm씩 날개가 들어갑니다)
(A4는 날개지원되지 않습니다)

위와 같이 작업해야하는 이유는
다음과 같습니다.

표지를 인쇄하여 제본할 때, 용이하게 작업하기 위하여 사방에 3mm씩 칼선(재단선)을 집어넣습니다.

그래서 가로세로에 각각 6mm씩 추가하게 된 것입니다^^

책등의 사이즈 계산은 부크크 책만들기 -> 종이책만들기 -> 페이지수 입력

제본	무선 제본
색상	표지 컬러 내지 흑백
규격	46판 127 * 188 mm
표지	아르떼(감성적인) 아르떼 210g, 무광코팅
내지	이라이트 80g
장수	100 Pages
날개	없음
두께	7.8 mm
면지	백회색 앞뒤 1장

C.CMYK .

종이책으로 제작시 사용되는 인쇄기는
모든 색상을 CMYK로만 인식하고 있습니다!

때문에 색상을 RGB로 작업한 경우 실제 책을 제작하였을때 색상이 전혀 다른 색상으로 작업 될 수 있습니다.

RGB로 작업하실 경우, 반려처리는 하지 않으나 색상이 조금 다를 수 있습니다.

때문에 가능한 모든 색상은 CMYK로 작업해주시면 좋습니다!

7.표지

기 샘플

7.표지만들기 샘플

책 만들기
A에서 Z까지

이단 박창수 지음

Thank you for your order

★★★★★

오늘하루도,
소심한 야옹이

이수진 에세이

매일가도 이렇게 낯설고 불편할까?
사람들 앞이 두려워요.

베스트셀러
★★★★★

이달의
작가상 수상
★★★★★

우린 살아 가면서 마음에 소리를 듣는다
문득 문득 들려오는 마음의 소리
그 소리에 잠시 귀 기울이며
만든 글로 책을 엮어 본다

난 이미 결정 되었다

2024

어찌할까요 우리 지나가는 순간들이

이단
박창수
지음

A Novel by Alfredo Torres

THE LOST LOVE

LOVE IS LIKE THE OCEAN, ALWAYS EBBING AND FLOWING, BUT SOMETIMES LOST ON THE WAY HOME.

A Novel by Alfredo Torres
LOVE IS LIKE THE OCEAN, ALWAYS EBBING AND FLOWING,
BUT SOMETIMES LOST ON THE WAY HOME.

위 예시들은 캔바를 이용해 만든 책 표지
입니다
인디자인,포토샵,캔바는 사용 방법을 익히셔야
합니다
시간이 필요하다는 겁니다
원고를 쓰고 책을 낸다하면 많은 금액이 필요
하죠
하지만 3개의 툴을 이용하면
한번 익혀 놓으시면
평생 사용 가능 합니다
내 손으로 책을 만들어 보자로해 시작한 지
6개월이 넘어 갑니다
처음에 막막했던 시간 필요한 정보를
알지 못해 시간을 많이 필요로 했습니다
이제는 책 모양새를 갖춰 나가고 있습니다
북크크에서 6권의 책을 출판 했습니다
많은 부분이 미약 했지만 지나온 시간이
후회 되지는 않습니다
이제는 책다운 모습을 갖춰 출판 할수 있는
용기가 납니다
많은 정보들이 있습니다
간추려서 편하고 신속하게 책을 엮어 보세요
어렵지 않습니다
충분히 하실 수 있는 일 입니다
내 생에 내 책이 있다는 것은 정말
행복한 일 입니다
도전 하세요
이룰 수 있습니다

8.chatgp
이용한

미드저니를
만들기

8.chatgpt,미드저니를 이용한 책 만들기

chatgpt,미드저니를 이용한 책만들기 가능 합니다 저도 두툴을 이용해 책을 만들어 봤습니다
처음엔 가능할까 했는데 가능 하더라구요
재미삼아 시간도 절약하면서 직접 쓰지않고
글이나 그림을 생성해 책을 만들 수 있습니다
시,소설,에세이 등등 원하는 장르 다 직접 쓰지 않고 만들 수 있습니다

챗지피티 : https://chatgpt.com

미드저니 :
https://www.midjourney.com/home

두툴 다 가입하시고 유료 결제 하셔야 합니다

파파고(한영,영한 번역기) :
https://papago.naver.com

챗지피티,미드저니 사용시 영문이 필요 합니다
이용해 보세요

맺는 말

처음으로 책을 만든다는 것은 어려울 수
있습니다
하지만 사막에서 오아시스를 찾는 것 처럼
이 책을 이용 하시길 바랍니다
더 많은 정보가 있습니다
하지만 많은 정보 때문에 시작하기 곤란한
이유가 될수 있습니다
간단 하지만 요점을 요약하듯 써내려 간
책 쓰기 책 만들기 이 책 으로 인해
망설였던 책쓰기를 시작해 보세요

분명 이 글을 읽고 계신 분들은
책을 쓰고 책을내고
작가의 길을 걸으실 겁니다
질문이나 어려운 점 계시면
언제나 연락 주세요
아래에 메일 주소 남깁니다

그럼 여러분의 도전에 응원을 보내면서
이 글을 맺어 볼까 합니다
끝까지 읽어 주셔서 감사 드립니다

여러분의 책쓰기 도전
꼭 성공 하시길
기도 하겠습니다 ^^

메일 : pchsethan@naver.com

책 쓰기 책 만들기

발　행 | 2024년 05월 25일
저　자 | 박창수
펴낸이 | 한건희
펴낸곳 | 주식회사 부크크
출판사등록 | 2014.07.15.(제2014-16호)
주　소 | 서울특별시 금천구 가산디지털1로 119 SK트윈타워 A동 305호
전　화 | 1670-8316
이메일 | info@bookk.co.kr
ISBN | 979-11-410-8711-1

www.bookk.co.kr